과천한 사감 정이
항상 감사드립니다!

# GARBAGE TIME

DASAN
COMICS

**매일매일 새로운 재미, 가장 가까운 즐거움을 만듭니다.**

한국을 대표하는 검색 포털 네이버의 작은 서비스 중 하나로 시작한 네이버웹툰은 기존 만화 시장의 창작과 소비 문화 전반을
혁신하고, 이전에 없었던 창작 생태계를 만들어왔습니다. 더욱 빠르게 재미있게 좌충우돌하며, 한국은 물론 전세계의 독자를
만나고자 2017년 5월, 네이버의 자회사로 독립하여 새로운 모험을 시작하였습니다.
앞으로도 혁신과 실험을 거듭하며 변화하는 트렌드에 발맞춘, 놀랍고 강력한 콘텐츠를 만들어내는 한편 전세계의 다양한 작가
들과 독자들이 즐겁게 만날 수 있는 플랫폼으로 거듭나고자 합니다.

# #01

## 가비지타임

글·그림 **2사장**

GARBAGE TIME

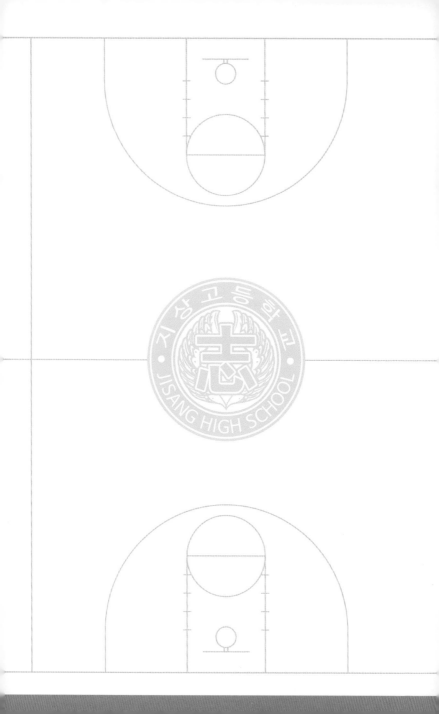

# CONTENTS

GARBAGE TIME

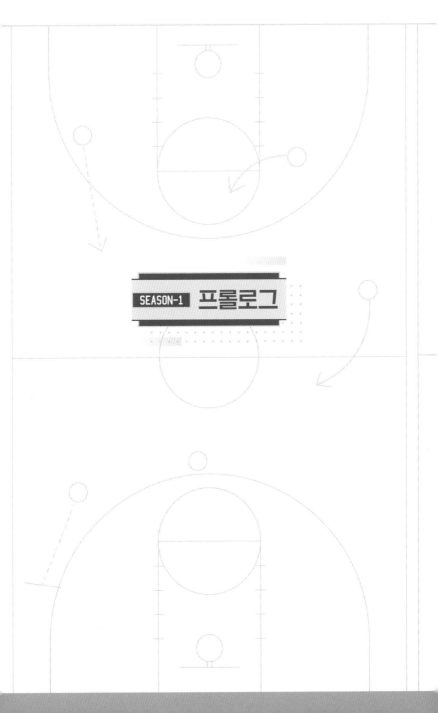

SEASON-1 프롤로그

GARBAGE TIME

만물을 살피시는
천지신명께
고하나이다.

오늘 간소하게나마
술과 음식을 준비하였사오니
부디 흠향하시고,

부족한 인간의
걸음걸음마다
용기를 주시어,

진실한 노력의 대가로
승리의 결실을 맺도록
살펴주시기를 기원하나이다.

지상고등학교장
장택수 외—

1학년

진재유 공태성 김다은 정희찬 기상호

농구부 일동.

야, 니 소원 뭐라 빌 거고?

이런 거 빈다고 뭐 되겠나?

기분이라도 내면 좋다 아이가.

……

소원 빌어봤자

바뀌는 거
없다 아이가?

우리 팀은

전국에서
꼴찌고

내는

그중에서도
제일 허접한 놈이고.

농구 하는 건…

전혀 즐겁지 않다.

이 작품은
2012년 고교 농구의 특정 실화를
모티브로 하였습니다.

단, 작품에 등장하는 단체 및 인물은
작가가 재구성한 창작물인 점 참고 부탁드립니다.

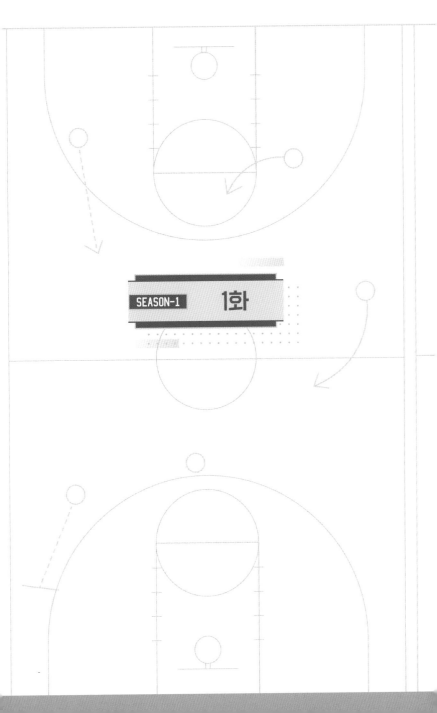

GARBAGE TIME

사토군의
오른팔은
이미 한계…

그만둬,
사토군…!

소오오

!?

저 녀석!
글러브를
오른손에!?

양손 글러브
였어!

왼손으로
던질 셈인가!?

그뿐만이
아니야…!

<고시엔의 전설> 21권을 기대해주세요

와…

재밌다.

인선이…?
니 이거 다음 권
있나?

아, 없다.
오늘 빌려온 거
그게 마지막인데.

아 맞나….

흠…

시간 진짜
안 가네.

쌤요!

딴 거 필요 없고
국영수 위주로

쌤!

엉? 농구부?
머꼬?

저 오늘
연습 시합 있어가
먼저 좀
가보겠습니다.

……

그런 거
일일이 안 말해도
된다.

20

21

혼자
연습할 때는
잘만 들어가네.

이번에는
3점 거리서
던져보까?

마침 다
반대편 코트에
있고…

야! 준수
너 인마
무슨 짓거리야?

죄송합니다.

단독 찬스였는데...

상호…

벌컥
벌컥

크으~!

콜라 많이 마시면
키 안 큰다 하대~

무슨 콜라를
술처럼 처먹노

농구가
그래 재밌나?

뭔 헛소리고?
재밌으니까
하겠지.

……

기상호.

니 이런 데서 농구해본 적 없제?

몇 달 전에 한 번.

니는 있나?

미쳤나!? 이런 데서 놀다 걸리면 준수 형이랑 코치님한테 개털린다 아이가!?

털릴 게 뭐 있노?

아니, 여기 조명은 어두침침하제,

골대 기둥엔 매트도 안 감겨 있어가 부딪히면 오만 데 다 부러지겠고,

바닥은 군데군데 미끄러워가 사람들 계속 자빠지는데

백 퍼 대회도 얼마 안 남았는데 다치면 어쩔거냐믄서….

넘 오바하는 거 같은데.

아이다. 준수 햄이면 백 퍼다 백 퍼.

짜피 안 걸리면 장땡이다 아이가?

......

재밌드나?

어. 완전.

못 한다고
뭐라 하는 사람도
없고

지만 재밌게 하면
그만이니까.

......

모처럼 놀라는데
할 게 이래 없노.

하아~

내일모레 지나면
또 운동해야 되네….

가자 이제.

그래.

희차이 이거 비밀이디.

알았다.

언제는 내보고 미쳤나믄서…

내보다
잘 뛰기까지
하면은…!!

앗!

리바.

너무 혼자 했나?

아저씨! 패스 받아요!

앗, 미안타! 혼자 해라 혼자!

저 사람들은 아까부터 뛰지를 않노….

헉

에잇!

화악

7 대 1!

전반 끝이요.

잠깐 쉬었다 합시다~!

그럽시다~!

_뭐 했다고···_

기상호 인마 완전 신났네, 신났어.

재밌드나?

뭐~ 그냥저냥.

그냥저냥은 개뿔, 얼굴에 다 쓰여 있구만.

맞나? 히히

낀낀

어이.

?

이거 마시고 해라.

_그 사람 아까 손으로 고추 긁었···_

앗, 감사합니다!

......

아까부터
긴가민가했는데…

그 바지

태초중학교
유니폼 맞제?

에?
우예 아셨대요?

전에 한번
본 적이 있어가…

와 근데
엘리트였나?
어쩐지 잘하드마.

헤헤

뭐라꼬?
농구부라꼬?

클럽이나
동아리 같은 거
아이고요?

네.

자, 그럼 쉴 만큼 쉬었는데 후반 시작합시다~!

벌써?!

저희 볼부터 맞죠?

어. 맞다.

어? 그 친구 제가 마크인데요?

내랑 바꾸자.

왜요?

왜긴.

엘리트 함 발라보게.

푸핫

상호가
학교에서야
후보긴 하지만…

동네 농구
수준으론

섭지
않을 긴데.

아?

으와…
뺏길 뻔…

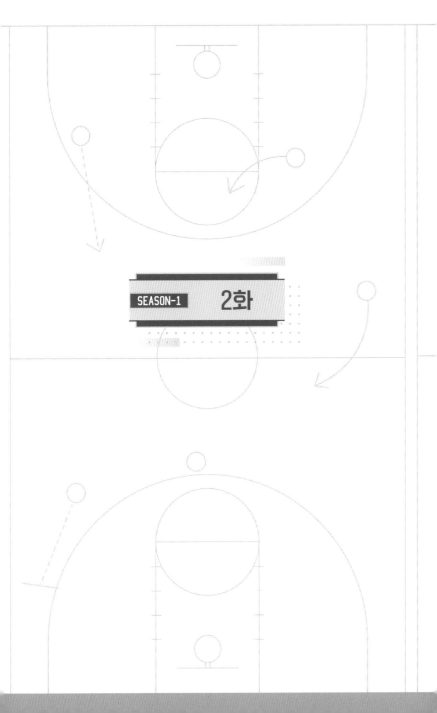

SEASON-1　　2화

GARBAGE TIME

오올~

와.
인성 보소.

보는 입장에선
꿀잼인데 이거.

내 같으면
한 대 쳤다.

한 번
쳐낸 거 가지고
왜 갑자기 저래
똥매너고!?

혼꾸녕을
내줘라, 상호야!!

우왁!

레슨 원.

지금부터
내 하는 말
잘 들으래이.

좋은
수비는,

좋은
공격으로

오른쪽만 막아서면
끝인 아가
엘리트는 무슨…

엘리트
물주전자
수준이구만.

뭐고 저 사람!?
궁예가!?

아니, 상호가
슛이 구린 건
또 우예 알았지!?

ㅅ, 숏
잘하거든요!?

던지는 거
보지도
못했으면서…

마,
생각을 해봐라.

동네 농구에선
보통 라인 안에서 던지면
1점, 밖에서 던지면
2점 주는 룰로 하제?

지금도 그렇고

정식 농구에서
각각 2점, 3점 줄 때보다
효율이 훨씬 좋은 기다.

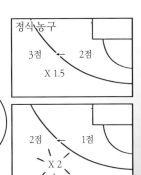

정식 농구

3점 ← → 2점

X 1.5

2점 ← → 1점

X 2

*FIBA(국제 농구 연맹) 기준 2010년 개정.

심지어 여긴
옛날 규격으로
그려진 코트라

느그들 시합할 때보다
라인이 50cm 짧아서
맘도 훨씬 편할 긴데

숏 잘한다는 아가
라인 밖에서
한 번을 안 던진다고?

그렇게 *새깅을 해줬는데?

*일반적인 수비 간격보다 거리를 두고 서서 공격자로 하여금 돌파를 어렵게 만들고 외곽슛을 강요하는 수비 방법.

레쓴 투~!

머.리.가.있.으.면.생.각.을.해.라.

상대가 뭘 잘하고 뭘 못하는지.

뭘 좋아하고 뭘 싫어하는지.

신체 조건이나 운동 능력의 차이가 심하지 않은 이상

농구는
수 싸움인 기라.

농구부에서
이런 거
안 가르쳐주드나? 킥

염병…!

마! 기상호!
니도 새김해라!

운빨로
드간 기다!

이런 데서
숫 제대로
던질 줄 아는 사람
거의 없다!

…운?

…이라고?

말이 되나!?

또 2점!

7 대 5!

슛감 미쳤다 진짜!

뭐…

뭔가 이상한데….

아까 전에 사이드스텝도 글코,

아무리 예측하고 있었다 해도,

5센치는 더 큰 내를 블록하는 게 절대 쉬운 일이 아이다.

게다가 그 정도 슛까지….

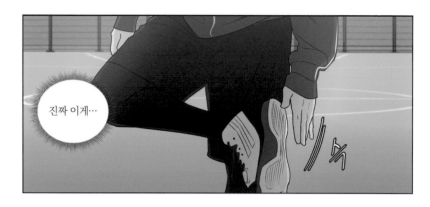

나의
우아한 슛폼을…

이…

이야아아악!

ㅋㅋ

똑같이
해줄 기다.

쪽팔리게
유니폼을…

오오오오오오오오오올
~~~~~~~~~~~~

열 좀
받았나본데~~~?

6

……

금요일에
농구장이나
나온 거 보니까

애인도
없나봐요?

푸핫!

이… 이게 아인데?

스윽

아, 웃어서 미안타.
속셈이 훤이 보이니
내도 모르게….

혹시
양배추
좋아하세요?

엉?

이번엔
또 뭐고?

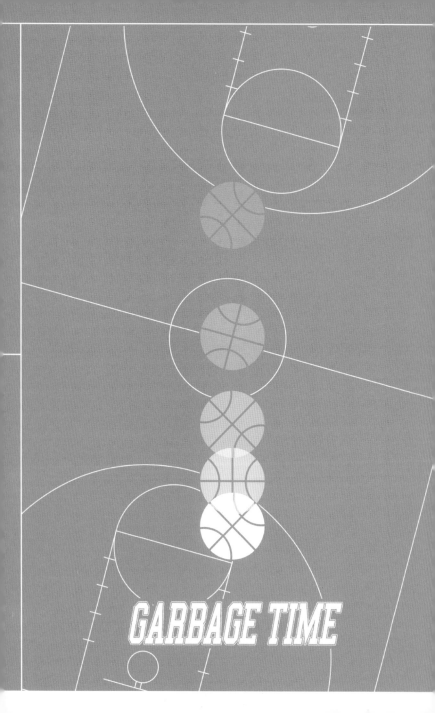

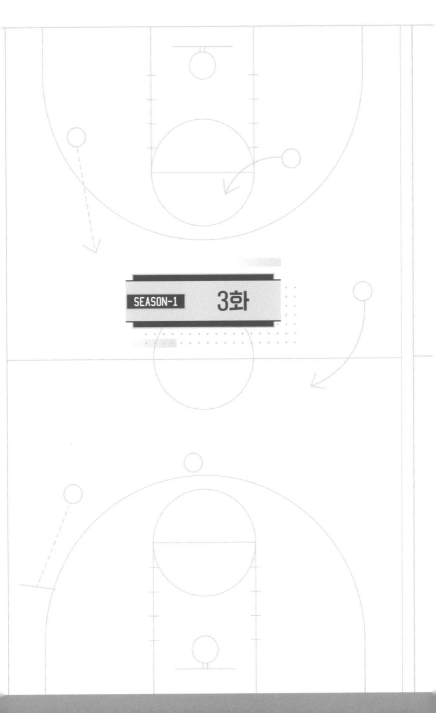

GARBAGE TIME

먹힌 건가?

별 반응이 없노···.

급하게 당겨들까 했는데···

일단 내가 이 사람에 대해 아는 거는···

오른손잡이에 슛이 좋다는 거 정도.

슛을 편하게
못 할 정도로만
가까이 붙은 다음에

오른쪽을
잘라 서자.

7 대 8!

사락

역전됐다!

아까부터
보통은 아이라
생각하긴 했는데…

흥…

반대 손 돌파도
엄청 빠르고
능숙하다.

빨리 끝내자

한쪽을 잘라 서는 게 의미가 있을까…?

마! 기상호!!!

똑바로 안 하나!?

계속 그래 할 거면 내랑 바까!

닌 쫌 시끄럽다!

퇴장도 없고 자유투도 없는데 걍 파울로 끊든가!!

장거리슛에
반대 손 돌파…

수가 다양한 데다가
빠르기까지 해서
보고 반응하는 게
쉽지가 않다.

?

뭐고?

저래 가까이
붙는다고?

저래 붙으면
2점슛이야
못 하겠지만…

돌파를 막기가
힘들어질 텐데.

와?

아이다
아이다.

단순하게
생각하자.

어?

오른손잡이니까
오른쪽을
막는 기다.

그쪽이
확률이 높으니까!

잠깐만.

뭐고?

머.리.가.있.으.면

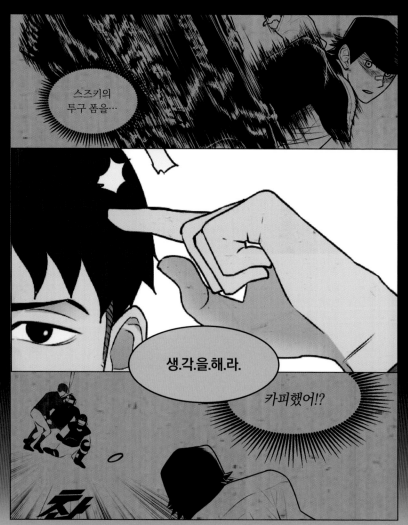

스즈키의
투구 폼을...

생.각.을.해.라.

카피했어!?

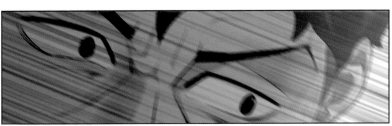

흔하지는
않아도

몇 번은 봤다
아이가?

어릴 때
좋아하는 선수
슛폼을 따라 하다가
습관이 들었다든가

원래
슛하던 손이 다쳐서
불편해졌다든가

아니면 뭐
양손잡이라든지
해가

드리블 잘하는 손이랑
슛하는 손이
다른 애들.

어떤 건지는
모르겠지만…

아무튼
고마워요.

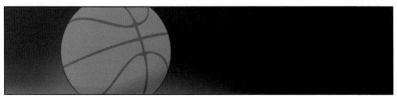

좋은 거
알려줘서.

좋은 수비는

좋은 공격으로
연결된다!

………!!!

우와아아아!

덩크다
덩크!

8 대 8!

나 이 동네서
덩크하는 사람
첨 봤다!

다시 동점!

역시 엘리트는
엘리튼갑네!

덩크 성공해서
다행이다…

뭐고…?
어떻게….

아까 공 좀
긁어볼라 했더니
왼쪽으로
피하시더라구요.

생각해보니까
슛할 때 말고는
계속 왼손만 썼던 거
같아가지고….

……

그래서 어쨌다고?

흥

결국
운 좋게
막았다뿐이지

니가
득점할 방법이 없는 건
똑같은데?

*포스트업
하면 돼요.

자기가
물어봤으면서…

함 해봐라.
니처럼 말라빠진
고삐리 포스트업
하나도 안 무섭다.

*수비와 골대를 등지고 하는 공격의 총칭. 크고 무거울수록 유리함.

잘했다,
상호야!

이제부터가
진짜 기라!

농구부의
매운맛을 보여주~

야, 야.

재밌어?

준수 형!?

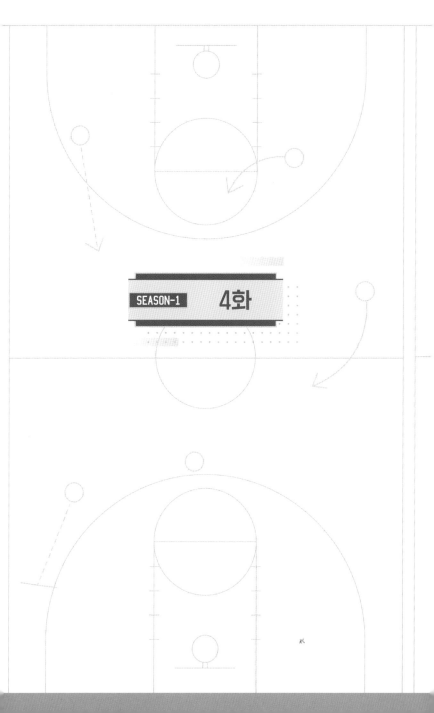

GARBAGE TIME

야, 야. 미쳤지?

대회가
얼마나 남았다고
밖에서 농구를 해?

그런 데서 놀다
다치기라도 하면
어쩔 건데?

부원 여섯밖에 없는데
한 명 빠지는 게
얼마나 큰일인지
모르겠어?

아니, 배 나온
아저씨들이랑 해서
연습은 되냐고?

그럴 기운 있으면
체육관 가서
슈팅 연습이나
할 것이지…

… 에휴,
씨X거….

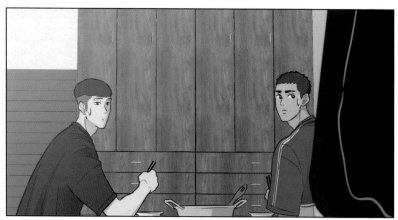

야, 김다은.
이따 내랑 묵을 거 쫌
사러 가자.

엉.

지금
먹고 있으면서
뭘 또 처먹어?

아…
그게 아이라
내일 간식 쫌 미리
사둘라고….

니 또 되는대로 처먹고
살찌고 나서 4쿼터 힘든 티
내기만 해봐. 뒤져 진짜.

네….

야, 상호
니도 뭐 살 거 있다
안 했나?

같이 가자.

아, 네….

……

아~

정희찬 X새 통학인 거 X나 부럽네.

내도 집 가까운데.

외박이라도 나갈 수 있었으면...

그러게 누가 맨날 연습 지각하고 땡땡이치다 여기 처박히랬음?

뭐라노 빙X 같은 게

이게 다 니 때문이다!

아!

할라면 쫌 멀리 나가서 하든가

왜 하필 숙소 코앞에 있는 코트서 하노?

니 땜에 숙소 분위기 X 같아졌다 아이가?

근데
그 새X도
이해 안 가는 게,

인마 다치든 말든
어차피 게임 뛰지도
못하는구만….

?

……

마, 우나?

에이~ 와 우노,
빙X야…!

안 울어요!

햄이
까까 사 줄까?

됐어요!

아니,
밖에서 농구 쫌 한 게
뭐 대수라고
그 X랄이고?

맞제?

그런 데서
놀 기운 있으면
체육관 가서
슛 연습이나 해!

내가 금마
따라 해볼까?

야, 야.
미쳤어?

어때?

똑같제?

오올~ 존똑.

그제?

……

밖에서 농구 한 건
어땠노?

재밌드나?

아, 저. 오늘 하다가
게임 중에
덩크 성공했어요.
그것도 한 방에.

거기 골대가
낮았던 거
아이가?

오, 리얼?

그런가….

글고
생각했던 것보다
잘하는 사람도
있더라고요.

이렇게······.

…

말도 안 돼…

저 사람이…

감독이라고…?

내 말이.

저래 어린 사람도 감독 시켜주나?

자격증은 있나…

이젠 하다 하다 별…

에휴

스물인가 여덟 돼 보이는데…

이현성
감독님이시다.

지상고
출신이시고…

수원ST
스피드스터스에서
선수 생활 하셨다.

수원ST…!

프로였나!?
어쩐지…!

알어?

모른다

감독님
처음 오셨으니까
3학년부터
자기소개 하자.

3학년
진재유입니다.

산형초등학교,
이석중학교에서
운동했고요….

포지션은
가드

포인트까드?

…네.

근데 니
몇 센치고?

네?

키
몇 센치냐고~?

아,
177입니다.

……

177?

쩝

알았다.

꿀꺽

가웃

지금 포지션은 포워드입니다.

기내초 기내중 나왔습니다.

다음.

기내중?

3학년 성준수입니다.

가오ㅣ

188센치구요,

......

다음.

1학년 김다은입니다. 198센치, 포지션은 센터고요,

재영초 구기중 나왔습니다.

*구력이 짧은 학생들은 대부분 선수 등록을 미루고 유급을 선택하여 기본기를 연마하는 시간을 가집니다.

구기중? 처음 듣는데? 거기도 농구부 있나?

......

니 농구한 지 얼마 안 됐제? 유급했나?

붐X

아뇨, 없어요.

근데 와 말하노?

다들 말하길래…

네. 1년 유급했습니다.

오케이, 다음.

1학년 공태성이고요, 저도 1년 유급했습니다.

포지션은 포워드. 195센치입니다.

구라 좀 작작 치셈. 님이 무슨 195임?

뭐라노 ㅂ시 같은 게.

다음.

1학년 정희찬입니다!

183이고요,

자성초 태초중 나왔습니다.

X랄 좀
하지 마셈

요샌 개나 소나
듀얼가드래

포지션은
중학교때까지는1번을했지만
지금은2번을보고있습니다하지만
사실상리딩과득점이동시에가능한
듀얼가드로서,빠른스피드를살린
속공전개와돌파가특기인…

알았다, 알았다.
다음.

1학년
기상호입니다.

포지션은
포워드고요…
태초중
나왔습니다….

끝?

네.

닌 뭐
특기 같은 거
없나?

특기…

상호는
귀를 움직일 수
있습니다.

쫑긋
쫑긋

아.

……

… 아무튼 간에 소개는 끝난 거 같고…

니들 내일 상평고랑 연습 게임 있제?

네.

걔들 요새 어떻노? 잘하나?

엄청 잘해요.

걔넨 엔간한 서울 학교랑도 비벼요.

최근에 금마들이랑 게임했을 때 우에 됐는데?

저번 주에 했었는데 졌어요.

몇 점 차?

**삼십칠**

됐다.

일의 자리까지 말하지 마

124

에휴…

점수 차가 왜 그래 크게 난 기고?

쩝…

거기 국가대표 했던 애 하나 있거든요.

국대? 누고? 설마 8번 금마?

엉. 16센가 17센가 한 번 했다대?

아이씨, 어쩐지 잘하더마.

잘하지. 금마한테 리바도 다 털리고.

아니, 그건 그 XH끼가 손톱 제대로 안 깎아가 팔을 막 긁어대니까…! 무서워서 제대로 하긋나!?

이 봐라!

그리고 그날은 내랑 김다은이 리바 20개씩 잡았어도 질 경기였디 이기!?

슛이 한 개도 안 드가는데….

너 이 X끼
뭐라 그랬어?

아, 마… 말뜻이
그게 아이라….

니들 스크린이
X 같으니까
숏을 편하게
못 하는 거 아냐!?

그리고 니네
그 X끼한테 20점
처맞은 거 알어!?

걔 4쿼터
다 뛰었으면
30점 넣었을 거

아닙니다.

첫날이니까
그냥 넘어가는 줄
알아라!

죄송합니다.

저… 감독님.

뭘
어떻게 하노?

뭐고?

저희 내일 경기는
어떻게 해요?

하루 준비한다고
삼십 몇 점 지던 거
갑자기 이길 수 있는 기도
아이고…

어차피 내일 게임은
니들 얼마나 하는지
보는 게 목적이니까
오늘은 컨디션 조절차
간단히만 하고 끝낼 기다.

그러니까 내일은
걱정 말고
하던 대로 하자.

나머지는…

내 알아서
할 테니까.

GARBAGE TIME

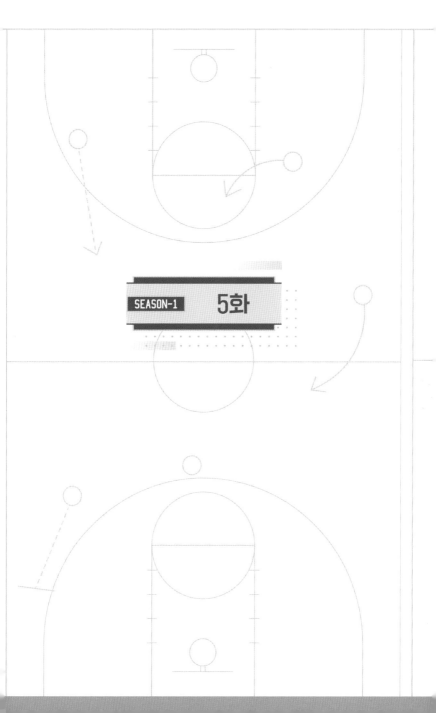

SEASON-1　　　5화

GARBAGE TIME

니들 어제 봤제?
그 새X들 내 오니까
다 눈 피하는 거.

암것도 안 했는데
지들이 알아서
쫄더마.

빙X들
가오만 잡을 줄 알지
X나 비리비리…

야, 친구야.

133

다 먹었으면
자리 좀 비켜주라.

와, 태성 햄 깡도 좋다. 아까 금마가 울 학교 통이라든데.

레알 돌아볼 때 눈빛 보고 지릴 뻔함.

맞나? 몇 번 얘기해봤을 땐 착하던데?

태성이 형은 학교에 아는 사람이 많은가보다.

고등학교 올 때까진 그냥 학교만 다녔어서 그런가….

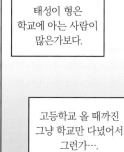

야. 오늘 저녁에 피방 가까?

피씨방 못 갈 텐데요? 오늘까지 지면 또 코치님 빡쳐서 야간 운동 시킬 텐데….

마, 지긴 뭘 지노?
아직 시합하지도
않았구만.

글고 어젯밤에
내 꿈자리가 좋았으니까는
오늘은 분명 저번하고는

함 째지 뭐.

와, 이 형 진짜
대책 없네.

X나
하기 싫은데
우짜라고?

전 안 가요.
또 한 소리
들으려고요?

내한텐
숙소 분위기 망쳤다
뭐라 하더니···

와?

?

136

뭐 보는데?

누구예요?
설마 여자친구!?

에이씨
X라 맛없네.

내 먼저 간다.

뭔데? 햄!
조금이라도 더
묵고 가라!

JISANG

니나 많이 무라
멸치야.

와 저러노?
저래 해놓고 또
간식 뺏어 묵을라고…

……

부럽다.

로우 로우 로우!

땡겨!

그냥 올라가라구!

짤!

빠졌다!

없어!

리리리리리리!

마 니
뭐 하는데?

나이스~

님이
잡을 줄 알았음.

야이씨
리바운드 안 해!?

쉬운 거만
안 쳤어도
10점 차는
줄었겠다!

어휴
X바거…

죄송합니다….

……

5월이
다가와서
그런지

준수 형은
전보다 더
예민해져 있다.

오늘 지면 또
숙소 가서 한 소리
들을 텐데…

역전은
무리겠지….

연습 경기
한 번 못 이기는
이런 팀으론,

에효

희찬이는
우리들 중에서
가장 빠르지만

1학년인 거
치고도
너무 말랐다.

우왁!

리바운드!

이 형들은

같은 팀이야!

나이스~

아니…

님인 줄
몰랐음.

정식으로
농구를 시작한 지
1년이 됐다.

재유 형은

그래도 우리 중엔
제일 잘한다.

중학교 땐
개인상도 타고
그랬다는데

명문고에
가진 못했다.

아무래도…

키가 작은 게
문제였나보다.

준수 형은
숫이 정말 좋다.

숫 찬스를
만들려면

내 공격이다.

지쳤구만

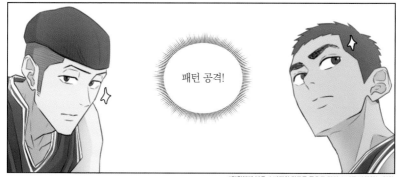

패턴 공격!

*팀원에게 붙은 수비자의 진로를 몸으로 막아 수비를 방해하는 행위.

태성이 형 다은이 형이
*스크린으로
도와줘야 하는데…

한 명은

동네에서
공 튀기던 형.

한 명은

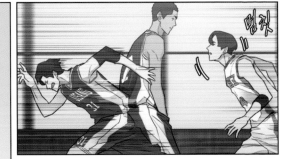

축구부
잘린 형.

제대로 된
스크린을
해줄 리가 없다.

나이스
블락!

아니, 무슨
스크린이 X바….

공 나갔다!

그래도 뭐…

야! 공 던져!

다들 내보다는 낫지만.

밖으로 나간 거
주워 와야지…

아, 넵!

아무튼
우리 농구부는

이렇게
여섯이 전부다.

안됐구만.

교체 선수가
한 명이라니 ···

게임을 거의
풀타임으로
뛰어야 한다는
거잖아.

축구도 아니고···

농구는
교체가
자유로운 만큼

지친 애들은
수시로 교대해서
쉬게 해줘야
하는데

그게 안 되면
제아무리
체력이 좋아도
지칠 수밖에 없지.

4번은
공격 부담이 높아서
벌써 엥꼬 났고···.

JISANG

4

우리나라
고교 농구는
만화가 아니다.

절레

절레

그만둬,
사토군…!

귀여운
매니저도 없고

즐거운
학교생활도 없어.

취미로
농구를 즐기는
학생과

프로를
지망하는 학생이
한데 섞여 시합하는
몇몇 다른 나라와는
달리

154

보통은
초등학교 때부터,

더 빨리!

정확히
밟아!

늦어도 중학생 땐
농구 시작해서

더 낮춰.

앞에 봐라!

고등학생이 된
지금까지

더 밀어.

더더더

공 신경 써.

하루 종일
손에 공 붙이고 살아온
녀석들밖에 없는…

으윽!

철저한
엘리트 스포츠다.

하지만
이렇게 평생을
농구에 갖다 바친
애들 중에서도

대학에 가고
프로에 갈 수 있는 애들은
소수인 마당에

이제 와서
덩치 좀 크다고
농구를 시키다니,

넘 방글
좀 자동문 같았음

뭐각노
빙X 같은 게···

쟤네 부모들은
대체 무슨
생각인 거야?

얌전히
공부나
시킬 것이지

왜 시간 낭비를
하게 만드냐고···.

그래도···

일케까지
질 만한 팀은
아인 거 같은데···.

타임!

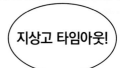

지상고 타임아웃!

될 수 있으면 오늘은 구경만 하고 싶었는데

하도 답답해가 그럴 수가 있어야지.

시간 없어서 빨리 말할 테니까

지금부터 내 하는 말 잘 들으래이.

느그들 다 3쿼터 시작하고 지금까지 무득점인 거 알제?

공격부터 얘기할 테니깐 한 골만 넣어보자.

마! 6번! 니도 얼른 온나!

아, 네!

일단,

지금 니들이 갖고 있는 패턴은 다 버려라.

뭐…
패턴 자체가
잘못된 거는
아니거든?

근데

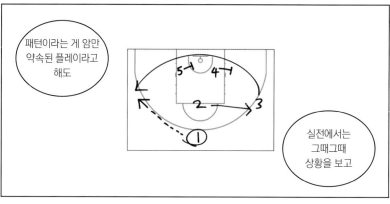

패턴이라는 게 암만
약속된 플레이라고
해도

실전에서는
그때그때
상황을 보고

스크린의
위치라든가

타이밍을 알맞게
바까줘야 되는데

이제 농구
1년 한 아들한테
그런 거를 바라기엔

지금 쓰는
패턴들은 너무
어렵고 복잡하다
아이가?

페이크다.

이런···!

31번이
수비랑 간격을
벌렸으면은···

다음은
느그 둘.

여서 자리 잡고
가만히만
있으면 된다.

그러다
31번이
느그 둘 사이를
통과하면은

딱 한 걸음씩만
움직이면 되는 기다.

문이 닫힙니다—

일명
'엘리베이터 스크린'.

스크린이
전부 바깥쪽이라
리바운드를 아마
못 할 기고

그니까
기회가 왔을 때
한 번에 성공시켜줘야
된다.

패턴이 단순해가
간파당하기 쉬워서
자주 쓰지도 못해.

166

니가 진짜
슈터라면.

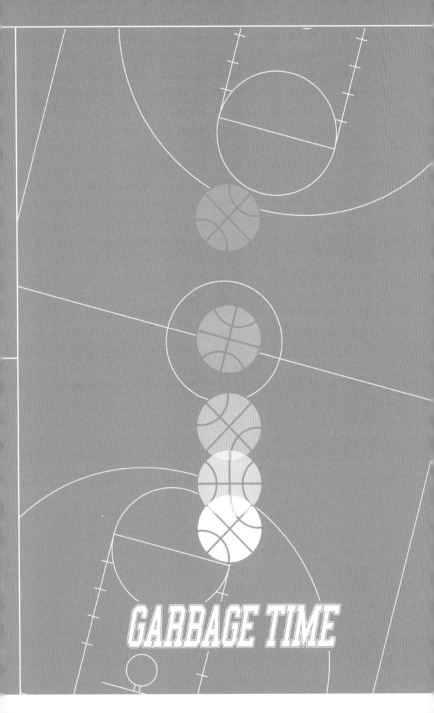

GARBAGE TIME

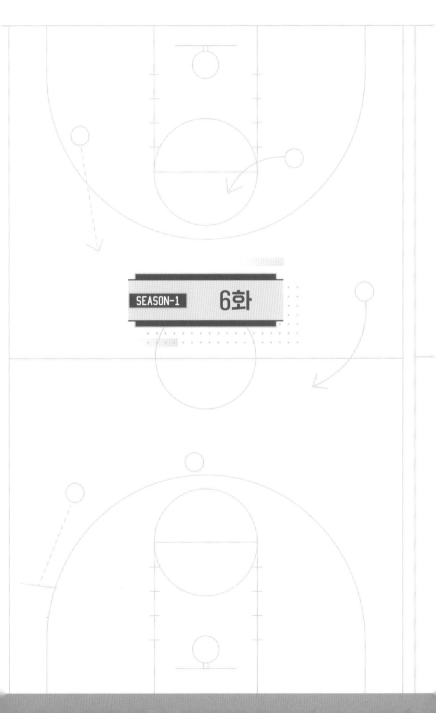

SEASON-1 6화

GARBAGE TIME

31번?
준수요?

애가 자리를 좀
가려서 그렇지
3점슛 성공률만 보면
꽤 괜찮거든요?

팀 실적만 받쳐주면
대학 1부 끄트머리까진
보낼 수 있을 거라
생각합니다.

오히려 재유보다도
가능성이 높아요

슛쟁이는 항상
수요가 있으니까.

자리를
가린다는 건…?

*코너 3점슛이
비교적 약하거든요.

*코너

흠…

뭐,
바꿔 말하자면…

코너만 아니면

믿을 만해요.

감독님.

수비 쪽은 뭐 하실 말씀 없으세요?

개판인데

음…

저기요!

시간 다 됐습니다! 얼른 시작할게요!

거 연습 게임인데 빡빡하게스리…

벌써 5분은 더 지났거든요!?

알겠슴다.

뭐… 그렇다니 일단 나가자.

지금 말해봤자 될 거 같지도 않고.

걍 하던 대로 해라.

와아악!!!

리바!

백코트!

뭘 야리노, 쥐똥만 한 게.

내가 다 니들 생각해서 이러는 기다.

프로 가면 관중들이 얼마나…

뭐야 저 새X 장난하나!? 남의 코트까지 넘어와서…

나이도 어린 새X가….

상펑

야, 됐다 됐어. 그냥 냅둬.

아무리 연습 게임이어도 그렇지…

……

상펑

못 들은 척…

첫 공격이
성공했으면,

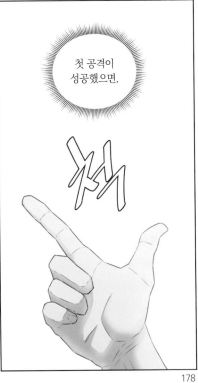

파밧

한 번 더.

똑같은 패턴?

막혔다!

멈짓

앞선 외곽슛이
성공했다면

수비가
31번을 의식하고
바깥쪽으로
나올 기다.

그럴 때는…

안쪽이다.

......

운 좋게
패턴 몇 번
성공했다고
시시덕거리긴…

맘에
안 드네.

스윽

야, 진석아.

빠르게 해.

공격은
속공으로.

복잡한 전술이나
패턴 같은 건
필요 없어.

수비는
압박.

바로
성공적인 결과가
나지 않아도
괜찮아.

계속 전력으로
달려야 하는 페이스로
경기를 유도해서,

상대를
지치게 만들기만
하면 돼.

우리 애들도
힘든 건 똑같지만,

전부 교체하면
그만이니까.

으이구
젊은 놈아….

요새 아무리
일자리 구하기가
어려워도 그렇지…

그렇게
아무 팀이나
덥석 물었다간

전국에 꼴찌 감독이라고 소문나는 거 순식간이야.

지상 01:26 상평

SCORE

CORE    PERIOD

39    3    68

하아~

내 다닐 때만 해도 이 정도로 선수가 부족하진 않았는데…

악순환에 빠졌거든요.

와 일케 됐습니까?

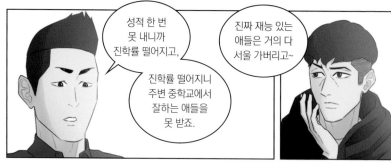

성적 한 번 못 내니까 진학률 떨어지고,

진학률 떨어지니 주변 중학교에서 잘하는 애들을 못 받죠.

진짜 재능 있는 애들은 거의 다 서울 가버리고~

191

잠만.

그라모,

학교에서
농구부를 없앨라고
한다는 겁니까?

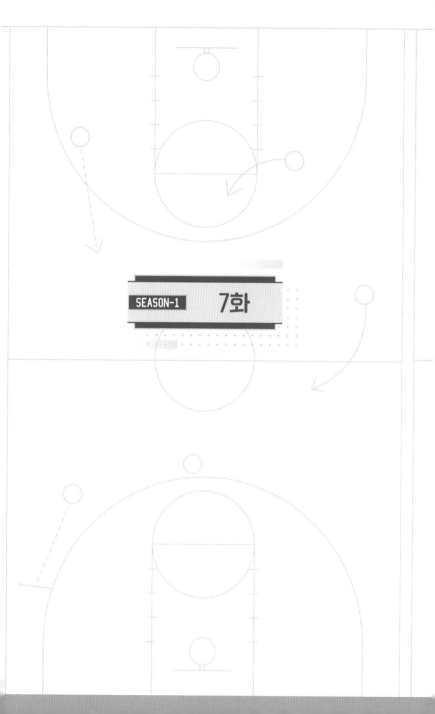

SEASON-1 　7화

GARBAGE TIME

아니 아니, 그 정도까진 아니고

없애려고 한다기보단 없어졌으면~ 할 거라는 거죠.

너무 나갔어네

아, 다행.

굳이 나서서 손 더럽힐 일 있겠어요?

어차피 이대로 계속 성적 못 내면 선수 수급 안 돼서 저절로 사라질 텐데.

이번에 3학년 애들 대학 못 보내면 진짜…

농구부

올해가 마지막이라고 봅니다.

아악!

코치님!

......

준수 형
눈 찔렸어요!

미안하다.
일부러 그런 건
아냐.

뭐야, 괜찮아?

많이 아프진 않은데
눈이 잘 안 떠져요.

손 치워봐.

쫌
어떻습니까?

크게 다친 건
아닌 거 같은데
일단 병원은
데리고 가봐야 할 것
같아요.

하…

마! 6번!

준비해라!

옙…!

걘 아직
연습 경기 때나 잠깐
내보내는 정도지

공식 경기
뛰켜줄 만한 수준은
아니에요.

그 정돕니까?

1학년짜리치고는
몸도 딴딴하고
꽤 잘 뛰는 편이라고
생각했는데…

중학생 때는
연습 경기도
못 나갔고…

동네 코트에서
만났을 땐 쫌
심하게 말하긴
했지만…

……

상호도
농구를 좀
늦게 시작했거든요?
중2 때쯤.

처음에
농구하겠다고 왔을 땐
거기 농구부에서
되게 좋아라 했대요.

거기도 우리처럼
선수 부족한
상황인데

중2에
187짜리,

말씀하신 대로
꽤 잘 뛰기까지
하는 애가 왔으니까.

198

고등학교 보낼 때 즈음엔 190은 그냥 넘겠구나 했는데

알고 보니 몸치 기질까지 있어서

결국 그 뒤로 키는 하나도 안 크고,

한 동작 가르치는 데 다른 애들 하루 걸릴 거 혼자 일주일씩 걸린다는 거예요.

그대로 고등학교 오니까 태성이 다은이만큼 높이가 되는 것도 아니고,

그렇다고 다른 애들 만큼 기술이 있는 것도 아니고.

포지션이 애매하게 돼버린 거죠.

게다가
가장 결정적인 건
역시…

숏이
아예 없다는
거예요.

아!?

상호였나!?

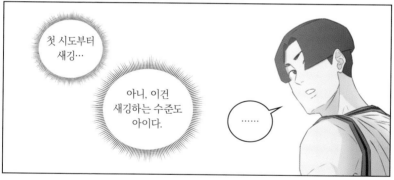

슛에
자신이 없으니
결국 패스를 선택.

공을 잡은 4번이
수비를 멋지게
벗긴다.

하지만

여전히
두 명.

6번이
들어가고부터

모든 공격이 사실상
사 대 오 상황에서
진행된다.

태성 햄!

빼라!

마!

빠꾸하라고!

빠꾸 같은 소리
하고 있네….

야, 니들.

뭐가 그래 즐겁노?

상대도 똑같은 고등학생들인데

저그들은 프로마냥 80점 게임하고

지들은 무슨 핸드볼이나 하고 있으면서

게임
끝나지도 않았는데
장난질이나
치고 있고.

기분도
안 나쁘나?

자존심도
안 상하냐고?

에휴…

…졌으면 뭐,
묵념이라도
하고 있어야 하나.

분위기 좀
바꿔볼라
했더만.

어차피
연습 게임인데….

감독님!

눈 어떻답니까?

괜찮습니다~

감염되지 말라고
약만 받아 왔어요.

잠깐
얘기 좀
합시다.

닌 먼저
드가라.

네.

어, 준수 왔나?

눈 뭐라노?

별거 아니래.

근데 분위기 왜 이래? 무슨 일 있었어?

모른다. 애들 뭐 말실수했나본데.

게임은 몇 점 차 났어?

점수판 봐봐라.

지상 00:00 상평

SCORE PERIOD SCORE

47 4 86

하…

니네들.

야.

이리 좀 와봐.

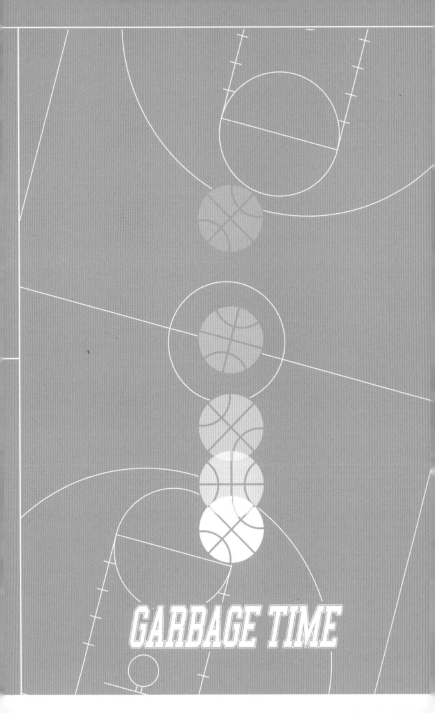

GARBAGE TIME

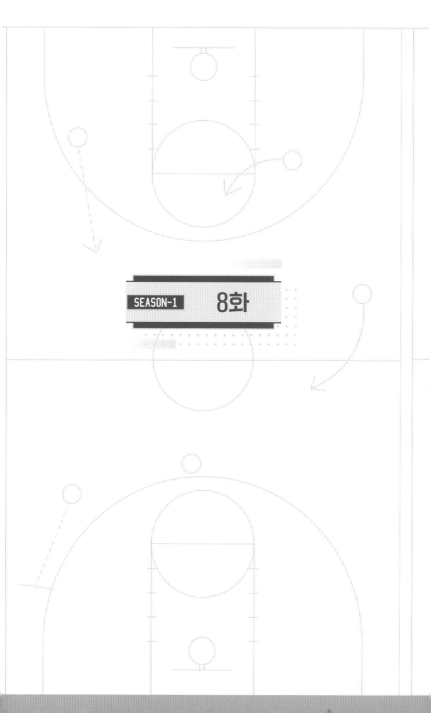

SEASON-1　8화

GARBAGE TIME

난 니들이
무슨 생각으로
운동하는지
모르겠다.

내년 되면 갑자기
X나 잘하는
1학년 들어와서
니네 버스 태워줄 거
같아?

올해 8강 못 가면
어차피 니네들도…

…

야. 공태성.

뭐, 그냥…

오늘 게임에 대한 얘기…

너 뭐 하냐?

따라 나와.

하, 씨….

재유 너도.

예.

휴…
큰일 나는 줄.

?

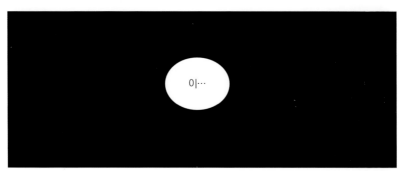

이…

한주먹거리도 안 될 X끼가 한 살 많다고 X나 나대네.

졸업할 때 조져놓든가 해야지.

그놈의 8강 타령은 X발…

8강 못 가서 뒈진 귀신이 붙었나.

8강에 가야 수시 쓸 데가 많아지니까 그렇지.

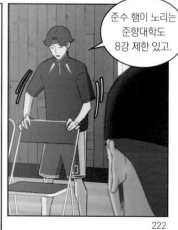

준수 햄이 노리는 준향대학도 8강 제한 있고.

**준향대학교**
**수시 1차, 2차 신입생 모집요강**

유형2 – 체육특기

체육대학 체육교육과

종목 : 농구(남)

모집인원 : 4인 이내

지원자격

**고등학교 재학 기간 중 다음 지원자격 중**
**하나 이상을 충족한 자**

- 국가대표, 국가상비군,
  청소년대표, 청소년상비군에 선발된 자
- 전국규모 대회의 개인상 수상자
- 전국규모 대회에서 8강 이내의 입상실적
  (해당대회, 팀 전체 경기시간의
  30% 이상 출전 시 인정)

고3이라
그런 거니까
햄이 쫌만 참아라.

짜피 몇 달 뒤면
못 볼 사람이라
생각하고….

그걸 와
우리한테
X랄인데?

애초에
지가 잘했으면은
좋은 고등학교에서
3년 동안 8강 한 번은
만들었겠지.

HWADLE ZZAK

안 뛰어와?

아씨…
또 뭐….

정문.

얘들아.

요새 내가
기록지 직접 쓰고
다 확인하는 거
알지?

너네
두 경기 동안
자유투 어떻게
던진 줄 알아?

공태성.

열 개 던져서
세 개 성공

정희찬이 열두 개
중에 다섯 개.

내가 너무 많은 걸 바란 거냐?

못 넣는 건 그렇다 쳐.

50프로만 넘기자 했잖아, 50프로.

넣기 싫어서 안 넣는 것도 아니고.

더 화나는 게 뭔 줄 알아?

나는 니네가 농구부 사정 어려운 거 알면 알아서 열심히 할 줄 알았거든?

그래서 스트레스라도 좀 덜 받으라고 야간 운동 자율적으로 하라고 놔뒀더니,

가끔 구경하러 오면 맨날 3학년들밖에 없어.

니네가 초등학생이야, 중학생이야? 시켜야만 하는 거야?

상평고 애들은 매일 10시 넘어까지 슈팅 연습한다던데, 걔들처럼 시켜줘?

아닙니다.

앞으로 잘해.

믿는다.

예.

아 레알
돈 아깝.

어차피 수업
다음 주까지만
나가면 또 당분간
안 갈 텐데.

대회 끝나면
또 하복 사야
할 거고….

어?

?

급식실에서 봤던
사람이다.

태성 햄이랑
무슨 사이지?

무슨 사이냐니,
둘이 사귀기라도
할 거 같나?

어.

와?

말도 안 된다.

세상에
어떤 똘추가
지 여친한테 그따구로
말하는데?

뭐 보는데?

태성 햄.

공태성.

가고 싶어는
살 수 없는 몸이
되어버림

하긴….

그 형 원래 쫌 이상하다 아이가?

또 뭐 별거 아인 거로 싸운 담에 삔또 상해가 틱틱대는 거 싸이즈 나오는데.

그래도 쟤가 너무 아깝다.

쟤에 대해 잘 모르지만 쟤가 아까울 거 같음.

그러니까. 말도 안 된다.

야. 만원빵 하까?

사귀는지 아인지 태성 햄한테 직접 물어보자고.

할 거면 2만 원 해라.

교복 사느라 용돈 다 털려서…

2만 원은 좀…

만 오천.

콜. 다은 햄 안 낄 거면 증인 좀 해도

그리고 말조심해라.

걔랑 내랑 동갑이니까 누나라고 부르라고!

다 물어봤으면 좀 끄지라!

밥~차리고 있으니까!

호다닥

이제 내기는 어떻게 되는 거?

그 누나한테 직접 물어보고 결정해야지.

쿵음...

우예 하긴,

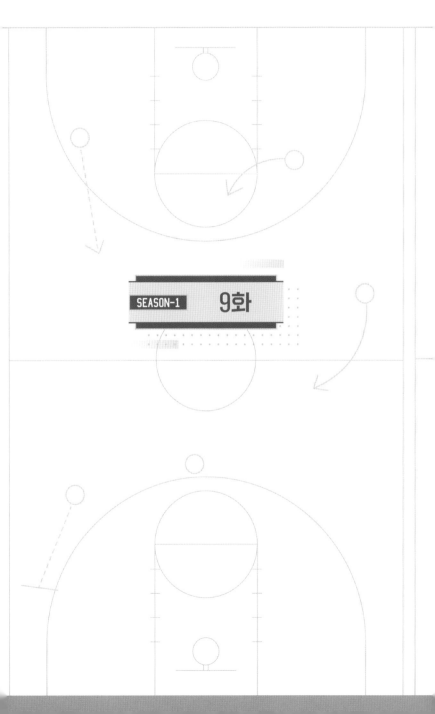

SEASON-1　　9화

GARBAGE TIME

오늘 일정은

체력···

체력·

······

체·

마!!! 북소리 좀 쭐이라고!

242

오늘 일정은
체력장이다.

체력장?

50m 달리기,
*맥스 버티컬 리치,
6km 달리기.

각각 종목별로
등수를 매긴 다음
점수로 환산,
종합 점수 1등에게는…

종목별
1등 5점
2등 4점
…
꼴등 0점

*도움닫기 점프 후 손이 닿는 높이.

상품을
주도록 하겠다~!

상품이
뭔가요?

피자
사 주세요

피자 갖고
되겠나?

농구화 한 짝
사 주께.

미…

미친,
이건 무조건
1등 한다!

저, 감독님.
버티컬 리치 같은 건
키 큰 애들한테
너무 유리한 거
같은데…

달리는 건
적당히 작은 사람이
유리하지 않나…
오히려 두 종목이나
되는데요.

첩

농구화 새거
필요 없는데….

잔소리 그만하고
나가서 준비해라.

예.

이 정도면
50m 되겠지...

감독님!
이렇게 다 같이 뛰면
기록은 어떻게 재요?

기록은
필요 없다니까.
눈으로 보고 등수만
매길 기다.

오늘
할 거 많데이.
빨리 끝내고 딴 거
해야지.

50m보다
짧은 거 같은데...

자, 준비.

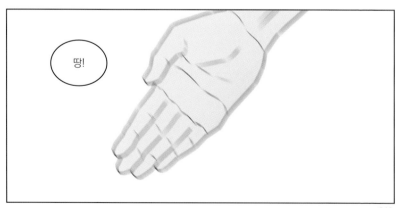

땅!

오호…

1등은
예상했던 대로.

2위권이
치열하구만.

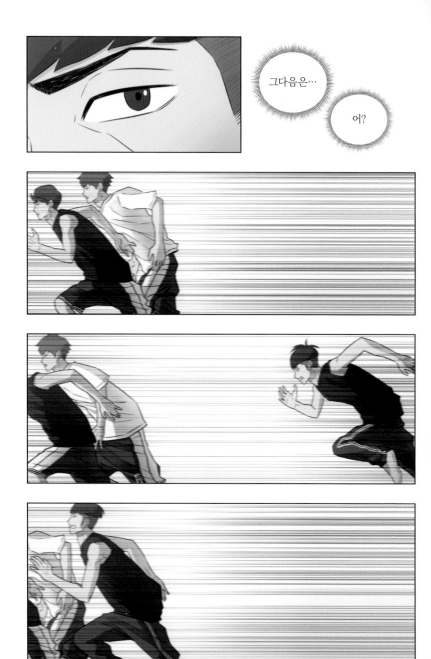

정희찬 1등!

감독님
저희는요?

재유 2등
공태성이 3등
김성호 4등.

셋이 거의
동시였는데.

그게 눈으로
구분이 돼요?

어.
(사실 구분 못 함)

김성호는
누구예요?

아~
100m였으면
내가 1등인데.

에헤이~
말도 안 되는
소리를.

자, 자.

다음 순서는

맥스 버티컬 리치
측정.

빠세잇!!!

맥스 버티컬 리치
1등 공태성
2등 김다은
3등 기상호
4등 정희찬
5등 성준수
6등 진재유

…한 놈만
제외하면.

야!
태성이 인마
자꾸 걸을래?

벌써
한 바퀴
처졌잖아!

예, 예.
못해먹겠네

헉헉

6km 달리기
1등 진재유
2등 기상호
3등 정희찬
4등 성준수
5등 김다은
6등 공태성

종합 1등은
바로…

정희찬.

역시!

농구화 완전
비싼 거 골라도
돼요?

농구화는
뻥이다.

미안

드가자
이제.

덥다

들어가서 좀
쉬고 있어.

예.

저, 감독님. 갑자기 체력 테스트는 왜 한 건가요?

경기하는 거 보셔서 어떤 수준인진 대충 아셨을 텐데.

…

마음에 안 드는 놈들 투성이라.

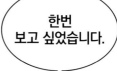

한번 보고 싶었습니다.

버릇을 고쳐주려면

뭐가 문제인지 더 정확하게 알아야 했거든요.

와.
진짜 덥다.

6km 뛰니까
힘 다 빠짐.

빠빠빠빠빠빠빠빠 빠
빠바바밤 빠밤~

어?
응원부인가?

팔이 더러 개…!

우리 학교
응원부 있었어요?

왜 대회 때
한 번도 못 봤지?

맨날
지기만 하는데
오겠음?
좀 잘해야 오지

야, 상호.

저기 봐봐라.

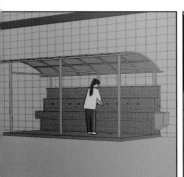

누님.

누님???

사귀어?

저… 혹시…

아,
전화번호는
좀…

아니
그게 아니고요.

미안….

…혹시 태성이 형이랑 무슨 사이예요?

무슨 사이냐니,

아무 사이도 아인데?

2권에서 계속

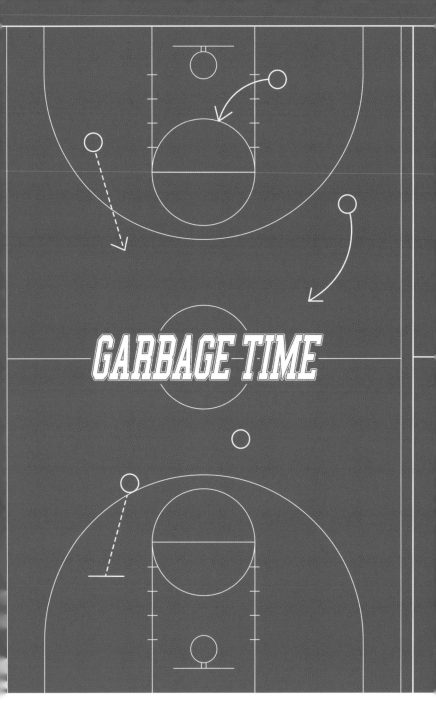

# 가비지타임 1

**초판 1쇄 인쇄** 2023년 5월 26일
**초판 1쇄 발행** 2023년 6월 28일

**지은이** 2사장
**펴낸이** 김선식

**경영총괄** 김은영
**제품개발** 정예현, 윤세미 **디자인** 정예현
**엔터테인먼트사업본부장** 서대진
**웹소설1팀** 최수아, 김현미, 심미리, 여인우, 장기호
**웹소설2팀** 윤보라, 이연수, 주소영, 주은영
**웹툰팀** 이주연, 김호애, 변지호, 윤수정, 임지은, 채수아
**IP제품팀** 윤세미, 신효정, 정예현
**디지털마케팅팀** 김국현, 김희정, 이소영, 송임선, 신혜인
**디자인팀** 김선민, 김그린
**해외사업파트** 최하은
**저작권팀** 한승빈, 이슬
**재무관리팀** 하미선, 김재경, 안혜선, 윤이경, 이보람 **제작관리팀** 이소현, 김소영, 김진경, 양지환, 이지우, 최완규
**인사총무팀** 강미숙, 김혜진, 박예찬, 지석배, 황종원 **물류관리팀** 김형기, 김선진, 양문현, 전태연, 전태환, 최창우, 한유현
**외부스태프** 하마나(본문조판)

**펴낸곳** 다산북스 **출판등록** 2005년 12월 23일 제313-2005-00277호
**주소** 경기도 파주시 회동길 490
**전화** 02-704-1724 **팩스** 02-703-2219 **이메일** dasanbooks@dasanbooks.com
**홈페이지** www.dasan.group **블로그** blog.naver.com/dasan_books
**종이** 아이피피 **출력·인쇄** 북토리 **코팅·후가공** 제이오엘엔피 **제본** 다온바인텍

ISBN 979-11-306-4281-9 (04810)
ISBN 979-11-306-4300-7 (SET)

다산북스(DASANBOOKS)는 독자 여러분의 책에 관한 아이디어와 원고 투고를 기쁜 마음으로 기다리고 있습니다.
책 출간을 원하는 아이디어가 있으신 분은 다산북스 홈페이지 '원고투고'란으로 간단한 개요와 취지, 연락처 등을 보내주세요.
머뭇거리지 말고 문을 두드리세요.